O LIVRO DOS APÓSTOLOS

Universo dos Livros Editora Ltda.
Avenida Ordem e Progresso, 157 – 8º andar – Conj. 803
CEP 01141-030 – Barra Funda – São Paulo/SP
Telefone/Fax: (11) 3392-3336
www.universodoslivros.com.br
e-mail: editor@universodoslivros.com.br
Siga-nos no Twitter: @univdoslivros

Volume 1

O LIVRO DOS APÓSTOLOS

**Bartolomeu
Tiago, o Menor
André**

São Paulo
2020

Grupo Editorial
UNIVERSO DOS LIVROS

© 2020 by Universo dos Livros

Todos os direitos reservados e protegidos pela Lei 9.610 de 19/02/1998.
Nenhuma parte deste livro, sem autorização prévia por escrito da editora, poderá ser reproduzida ou transmitida sejam quais forem os meios empregados: eletrônicos, mecânicos, fotográficos, gravação ou quaisquer outros.

Diretor editorial: Luis Matos
Gerente editorial: Marcia Batista
Assistentes editoriais: Letícia Nakamura e Raquel F. Abranches
Preparação: Ricardo Franzin
Revisão: Guilherme Summa
Arte: Valdinei Gomes
Capa: Vitor Martins
Imagem de capa: Leonardo da Vinci, *A Última Ceia*. Cópia do século XIX feita por um autor desconhecido no altar lateral na igreja Kostel Svatého Václava, em Praga. Shutterstock/Renata Sedmakova.

Dados Internacionais de Catalogação na Publicação (CIP)
Angélica Ilacqua CRB-8/7057

L761

    O livro dos Apóstolos – volume 1 : Bartolomeu ; Tiago, o Menor; André / Universo dos livros. — São Paulo : Universo dos Livros, 2020.
    32 p. (O livro dos Apóstolos ; vol. 1)

    Bibliografia
    ISBN 978-65-5609-015-3

    1. Apóstolos 2. Bartolomeu, Apóstolo, Santo 3. Tiago, Menor, Apóstolo, Santo 4. André, Apóstolo, Santo

20-4002   CDD 922.22

Introdução

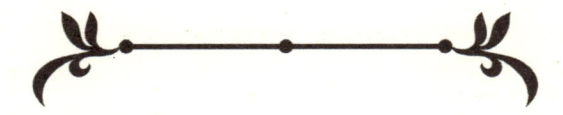

Sejam todos muito bem-vindos a esta coleção tão linda e significativa. Nela, contaremos a história de cada um dos Doze Apóstolos de Jesus. Existem muitos relatos de estudiosos da religião abordando os Apóstolos, mas não há muitos registros documentais que provem de fato tudo o que sabemos.

Inicialmente, vamos falar sobre algo que regularmente se questiona: o número de Apóstolos escolhidos por Jesus. Por que doze? Na verdade, se pensarmos no "Judas traidor" e em seu substituto, seriam treze os Apóstolos?

Na realidade, são doze os escolhidos, todos eles relacionados à história de Israel no Antigo Testamento. Jesus pensava na nova Israel, que, assim como a antiga, tinha doze tribos e doze patriarcas, o que O fez decidir pelos novos doze apóstolos.

Para que não restem dúvidas, expliquemos também a diferença entre discípulo e apóstolo.

Segundo o dicionário Aurélio, discípulo é "aquele que recebe ensino de alguém ou segue as ideias e doutrinas de outrem". Ou seja, o discípulo aprende algo com alguém. Já apóstolo, segundo o mesmo dicionário, define-se como: "1. Cada um dos 12 discípulos de Cristo. 2. Propagador de ideia ou doutrina". Ou seja, trata-se daquele que é enviado para ensinar algo.

Muitas pessoas são fascinadas pelas histórias desses homens escolhidos e conversas maravilhosas sobre o assunto são corriqueiras. Sempre alguém se identifica com um dos Apóstolos. E isso acontece por um motivo simples: todos os Apóstolos de Jesus eram pessoas comuns, assim como qualquer um de nós. Somente Ele os conhecia a fundo, com suas fraquezas ou suas virtudes. Assim, ao Mestre, não houve nenhuma dúvida quanto às suas escolhas. Ele procurava de fato pessoas comuns.

Então, se Jesus tinha a seu lado pessoas tão simples, algumas delas sem estudo ou sem a própria educação familiar, por que nós não as pegamos como exemplo? Sejamos todos servos de Cristo em nossas bondades, virtudes e fraquezas.

INTRODUÇÃO

Os Apóstolos serviram como mensageiros da palavra e dos ensinamentos de seu Mestre. Como verdadeiros discípulos, aprenderam primeiro a orar e a servir uns aos outros, para só depois passarem adiante Seus ensinamentos. Exatamente como muitos de nós.

Quem sabe se, ao ler um pouco mais sobre cada um desses discípulos, todos nós não podemos acreditar em nossa força para também levar nosso aprendizado?

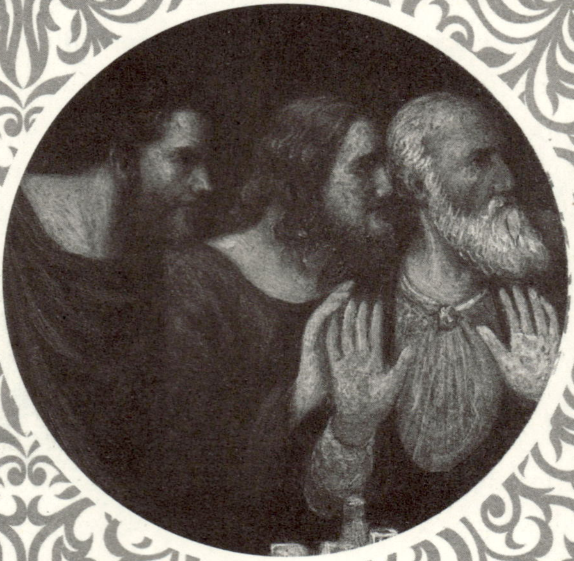

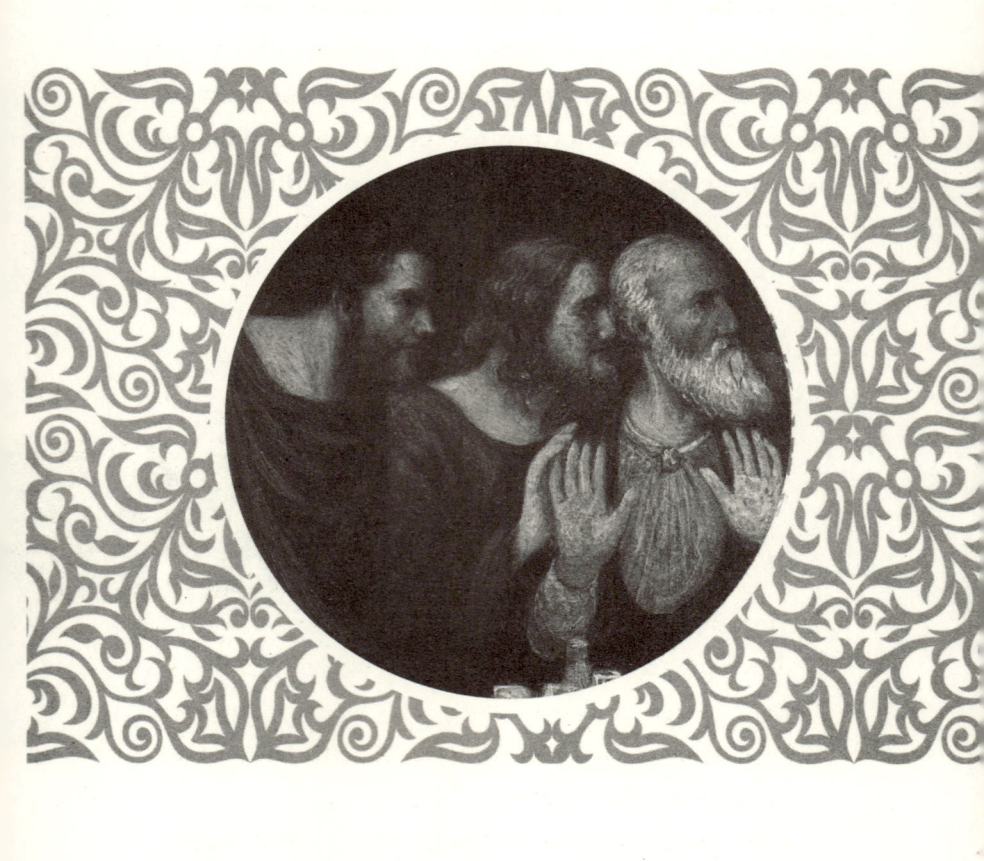

BARTOLOMEU

Vamos iniciar falando de São Bartolomeu, também conhecido no Evangelho de João como Natanael.

Vivia em Caná (pequena aldeia perto de Nazaré), na Galileia, onde Jesus realizou seu primeiro milagre, transformando água em vinho.

Era o mais jovem de uma família de sete irmãos e, sendo o único solteiro, era quem cuidava de seus pais, idosos e doentes.

É possível que muitos leitores já tenham se identificado logo de cara com ele, afinal, quantos de nós não "sacrificamos" a nossa própria vida para cuidar de nossos entes queridos?

Em hebraico, Bartolomeu significa "filho de Tolmai"; Natanael, também derivado do hebraico, significa "presente de Deus" ou "Deus quem deu".

Tudo que sabemos sobre ele vem de textos evangélicos (mais especificamente, do Evangelho de São João) e de pesquisas feitas pelo mundo todo.

Natanael era filho de agricultor e tão cético e preconceituoso que chegava a ser irônico quando se tratava de assuntos de Deus.

Mas ele era também bastante honesto e sincero com todos à sua volta, apesar de ter um ponto de fraqueza muito grande: seu orgulho.

Tinha 25 anos quando foi apresentado a Cristo. Junto com seu melhor amigo, Filipe, iam ver João Batista (assim se supõe, já que, segundo diversos relatos em Evangelhos, os dois estavam sempre juntos). Na ocasião, Filipe lhe falou: "Achamos aquele de quem Moisés escreveu na Lei e que os profetas anunciaram: é Jesus de Nazaré, filho de José" (João 1:45).

Mas Natanael, com toda a sua descrença, respondeu ao amigo: "Pode, porventura, vir coisa boa de Nazaré?". "Vem e vê" (João 1:46), respondeu Filipe.

São Bartolomeu, assim como os outros Apóstolos, teve o grande prazer de acompanhar Jesus e, assim, de ouvir todos os Seus ensinamentos. Presenciou milagres e recebeu missões.

Viu Cristo ressuscitado e sua ascensão.

Aos poucos, Natanael foi adquirindo total adoração aos preceitos de Jesus, tanto que, após sua conversão, acabou se tornando um dos mais ativos em assuntos relacionados ao Senhor, que dizia que "não necessitava que alguém lhe desse testemunho do homem, pois ele bem sabia o que havia no homem" (João 2:25).

Você pode se perguntar: por que Jesus escolheria alguém tão cético para ser um dos seus Apóstolos? A resposta é muito simples. Apesar de seu perfil, Jesus já reconhecera Natanael como líder de início. "Eis um verdadeiro israelita, no qual não há falsidade", disse o Senhor.

Natanael perguntou: "Donde me conheces?".

E Jesus respondeu: "Antes que Filipe te chamasse, eu te vi quando estavas debaixo da figueira" (João 1:47-48).

O que prova mais uma vez que Cristo não buscava pessoas que acreditassem Nele ou que O bajulassem, mas pessoas comuns. E Ele conhecia bem as características de todos.

Natanael tinha um perfil curioso e sabia muito bem das Escrituras, mas só depois de comprovar as coisas que via acreditou de fato em Jesus.

Mais um exemplo para nós. Quantas vezes não ouvimos a história do lobo em pele de cordeiro? Inclusive, tal expressão tem origem em uma frase de uma parábola de Jesus, proferida no Novo Testamento: "Guardai-vos dos falsos profetas. Eles vêm a vós disfarçados de ovelhas, mas por dentro são lobos arrebatadores" (Mateus 7:15).

Às vezes, acreditamos em algo que nos é dito por uma pessoa tida como letrada, inteligente e conhecedora, mas não comprovamos de fato a informação. Quem garante que tudo o que ouvimos é de fato verdade? Por isso, devemos agir como Natanael: pesquisar até reunirmos evidências de que aquilo que ouvimos é verdade.

Por outro lado, tampouco precisamos ser totalmente descrentes de tudo e todos, e sim tomar cuidado com o que nos é apresentado e dito.

Depois de algum tempo, Natanael confirmou tudo o que havia visto e, já sabendo com quem estava falando, exclamou: "Mestre, tu és o Filho de Deus, tu és o rei de Israel" (João 1:49).

Mas Jesus ainda disse algo que fez Natanael entrar em dúvida: "Porque eu te disse que te vi debaixo da figueira, crês! Verás coisas maiores do que esta". E Jesus continuou: "Em verdade, em verdade vos digo: vereis o céu aberto e os anjos de Deus subindo e descendo sobre o Filho do Homem" (João 1:50-51).

Com todo esse respeito vindo do mais alto dos seres, Natanael passou a ser visto como um bom homem, disposto a servir a Deus e à Igreja. Um homem de real confiança, amado e respeitado pelos Apóstolos.

Era ele o encarregado de cuidar das famílias dos Doze. Por vezes, ausentava-se do conselho apostólico ou de outros atos de extrema importância, mas estava sempre presente ao lado da família de algum dos Doze que precisasse dele. Isso mantinha seus companheiros sempre tranquilos. Nitidamente, gostava de cuidar dos outros, bem como fazia com seus pais.

Seguindo preceitos e estudos, diz-se que Natanael pregou o Evangelho em diversas regiões, como Índia, Irã, Síria e Armênia (onde teria convertido o rei Polímio, sua esposa e diversas outras pessoas em mais de doze cidades). Mas, infelizmente, os pagãos não o viam tão bem assim. Inclusive, o irmão do rei, Astiage.

Sua morte tem diversas versões dadas pelos estudiosos. Pode ter sido colocado vivo em um saco e lançado ao mar ou ainda perseguido pelos que não acreditavam em suas pregações, esfolado vivo e decapitado em Albanópolis, por volta do ano de 51 d.C. A data é incerta porque, como dito, sabemos da vida de Natanael apenas de pesquisas e passagens bíblicas.

O dia de São Bartolomeu é celebrado em 24 de agosto.

ORAÇÃO A SÃO BARTOLOMEU APÓSTOLO

Glorioso São Bartolomeu, modelo sublime de virtude e puro frasco das graças do Senhor! Proteja este seu servo que humildemente se ajoelha a seus pés e implora que tenha a bondade de pedir por mim junto ao trono do Senhor.

São Bartolomeu, use todos os recursos para me proteger dos perigos que diariamente me cercam! Lance seu escudo protetor em minha volta e me proteja do meu egoísmo e de minha indiferença a Deus e ao meu irmão. São Bartolomeu, me inspire em imitá-lo em todas as minhas ações.

Derrame em minha vida suas graças para que eu possa servir e ver a Cristo nos outros e trabalhar para a Vossa maior glória. Graciosamente obtenha de Deus os favores e as graças que eu muito necessito, nas minhas misérias e aflições da vida.

Aqui invoco sua poderosa intercessão, confiante na esperança que ouvirás minhas orações e que obtenha para mim esta especial graça e favor que eu reclamo de seu poder e bondade fraternal, e com toda a minha alma imploro que me conceda a graça *(mencionar aqui a graça desejada)*, e ainda a graça da salvação de minha alma e para que eu viva e morra como filho de Deus, alcançando a doçura do Vosso amor e a eterna felicidade. Amém!

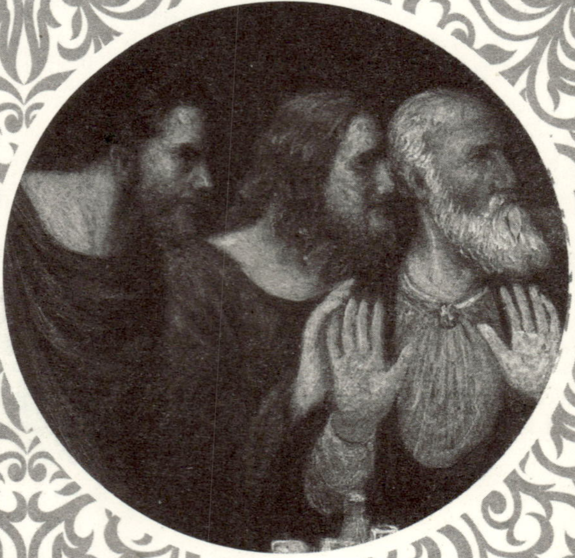

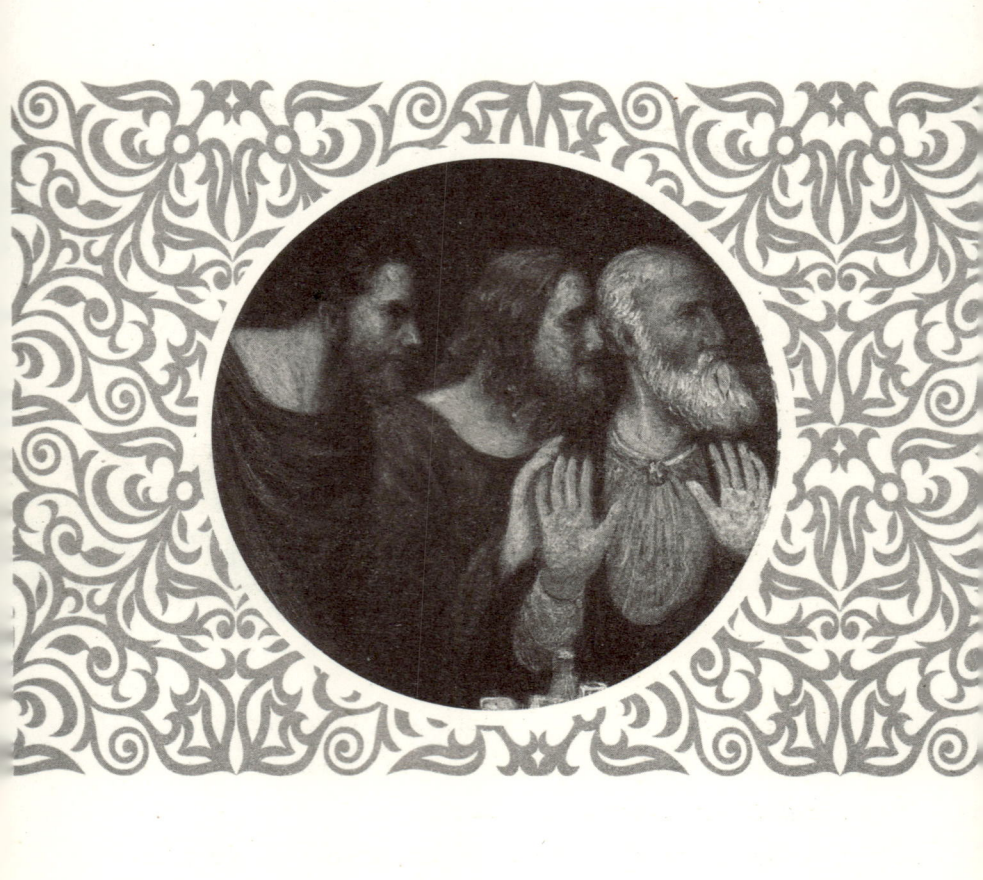

TIAGO, O MENOR

Também conhecido como Santiago Menor ou São Tiago Menor, era chamado de "o Menor" para diferenciá-lo do Tiago que o sucedeu à frente da Igreja de Jerusalém no ano 50 d.C., conhecido por "Tiago, o Maior". Era casado e tinha três filhos.

Tiago teria sido primo de Cristo, irmão de Judas Tadeu e filho de Alfeu. Após a Ressurreição de Jesus, de quem sempre estava ao lado, recebeu o dom da ciência como recompensa pela sua bondade.

Mais uma vez, pouco sabemos sobre ele. Alguns Apóstolos são mais falados do que outros, talvez pela importância marcante de seus feitos.

No ano 50 d.C., presidiu o importante Concílio de Jerusalém, durante o qual se discutiu se a circuncisão deveria ser imposta aos que se convertiam do paganismo.

Tiago teve papel importantíssimo no debate e sua opinião foi aceita: a circuncisão tornou-se obrigatória.

Fato interessante de Tiago é seu apelido: "o Justo". Fazia jus a ele não só porque não comia carne vermelha, não bebia vinho e observava os votos, mas também devido à sua grande elevação espiritual e ao coração enorme.

> Se alguém pensa ser piedoso, mas não refreia a sua língua e engana o seu coração, então é vã a sua religião. A religião pura e sem mácula aos olhos de Deus e nosso Pai é esta: visitar os órfãos e as viúvas nas suas aflições, e conservar-se puro da corrupção deste mundo (Tiago 1:26-27).

Embora pouco se saiba dele, muitos estudiosos o relatam como prático, sensível e de prudentes ensinamentos. Diz-se que São Tiago, o Menor, converteu muitos judeus à fé cristã antes de receber a coroa do martírio.

Aqui, devemos nos ater a mais um pensamento das épocas atuais: será que todos os seres mais importantes do mundo precisam ser protagonistas? Muitas vezes, questionamo-nos: será que eu só serei uma excelente pessoa, a quem os outros querem seguir e acompanhar, se tiver tido um passado brilhante? Só serei uma boa influência caso tenha como provar aos outros de onde venho? Preciso mesmo da aprovação dos outros para mostrar as minhas virtudes?

A resposta a todas essas perguntas é "não".

Para Jesus, nada disso importava. A história por trás de cada um dos Apóstolos é muitas vezes a mesma. Viviam da simplicidade e não eram as pessoas que mais se destacavam em suas vidas. Mas foram, assim mesmo, reconhecidos e escolhidos por Cristo.

Por isso, nunca julgue uma pessoa por suas vestes, suas joias ou seu vocabulário difícil, mas pelo seu interior. Escute-a. Com certeza, todos nós temos muito a aprender uns com os outros.

Aliás, julgamentos nem deveriam existir. Às vezes, uma pessoa está passando por uma grande dificuldade e não tem em quem se apoiar. Às vezes, a dúvida de alguém pode ser também a sua.

Mesmo que você não seja expressivo, falante ou carismático, com certeza é protagonista de sua própria história. Assim como Tiago. Não se diminua e muito menos tenha vergonha da sua história.

Relatos sobre a morte de Tiago são tão escassos quanto sua jornada em vida. Sugere-se que morreu entre os anos 61 e 66 d.C., por apedrejamento:

[Do alto do templo] lançaram abaixo o homem justo [e] começaram a apedrejá-lo, uma vez que ele não morrera na queda; mas ele virou, se ajoelhou e disse: "Eu imploro-te, Senhor Deus, nosso Pai, perdoa--os, pois eles não sabem o que fazem."
E, enquanto eles o apedrejavam até a morte, um dos sacerdotes dos filhos de Recab, o filho de Rechabim, de quem testemunhou Jeremias, o profeta, começou a gritar: "Parem, o que estão fazendo? O homem justo está rezando por nós." Mas um dentre eles, um dos tintureiros, tomou o cajado com o qual estava acostumado a manipular as vestes que tingia e atirou na cabeça do homem justo.
E assim ele sofreu o martírio; eles o enterraram ali mesmo, e o pilar que foi erguido em sua memória ainda está lá, perto do templo. Este homem foi uma testemunha verdadeira tanto para os judeus quanto gregos de que Jesus é Cristo. (*Fragmentos dos "Atos da Igreja" sobre o Martírio de Tiago, o irmão do Senhor, livro 5.*)

Comemora-se sua data em 3 de maio.

ORAÇÃO A SÃO TIAGO MENOR

Senhor Jesus, ao contemplar a vida de vosso apóstolo Tiago, outra vez sinto vosso amor infinito. É difícil, Senhor, saber direito a história da vida de vossos apóstolos, pois é vosso amor que se conta e faz a vida acontecer. As outras coisas, mesmo que importantes, são passageiras.

Ajudai-me, Senhor, a compreender que a vida é entrega, é doação, é serviço. Não deixai-me seduzir pelas coisas passageiras e nem me deixeis levar por outros caminhos. Firmai minha vida em vossa vida. Dai-me a coragem de vossos apóstolos.

Assumo meu amor a Nossa Senhora e o compromisso evangelizador com o Santuário, Casa bendita dos irmãos e irmãs, Casa de Maria, da Família de todos os Devotos, que se unem na prece, no ardor, no amor, no compromisso evangelizador! Nossa Senhora Aparecida, ajudai-me a evangelizar! São Tiago, ajudai-me a seguir Jesus! Amém!

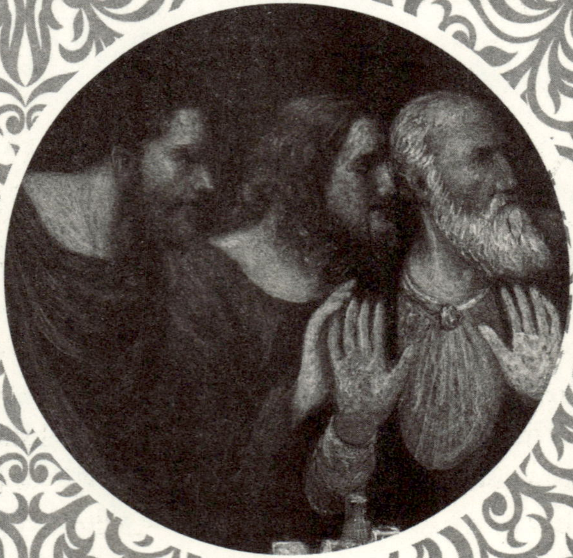

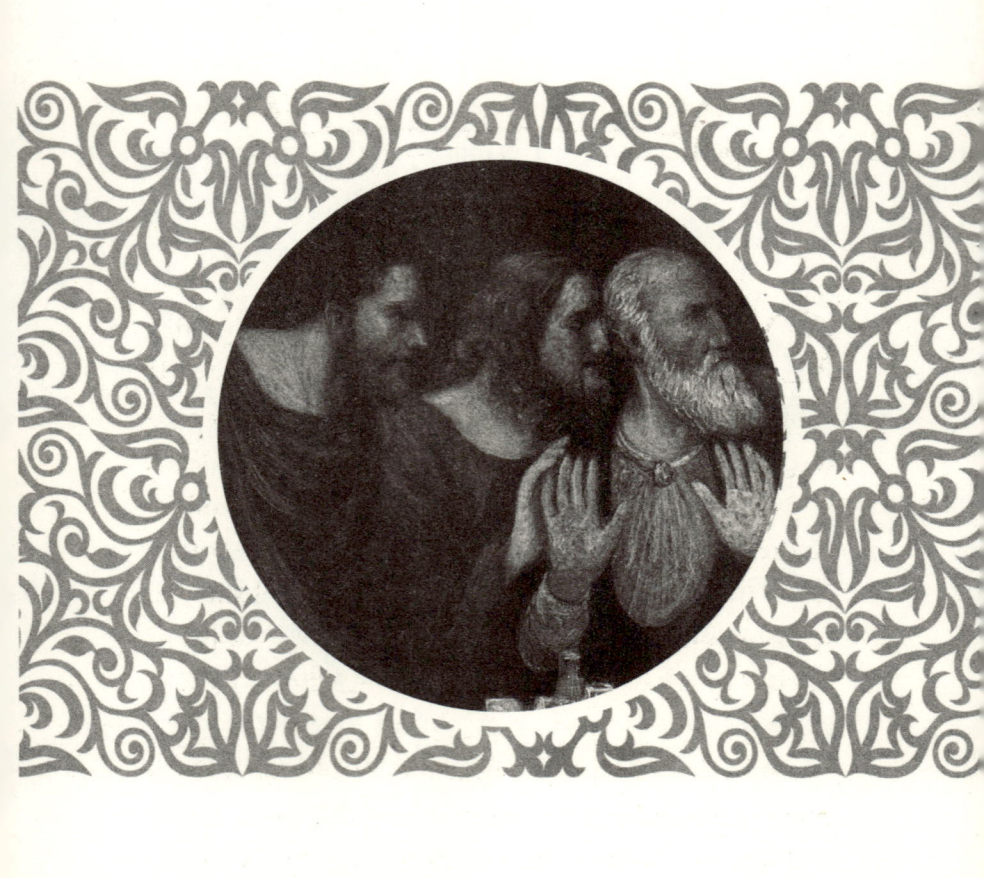

ANDRÉ

O nome André deriva do grego e significa "valente", "homem másculo". Subtende-se da Bíblia que era um homem culto, preparado e dotado de grande curiosidade, porque vivia questionando Jesus.

Nascido em Betsaida, às margens do mar da Galileia, André era irmão de Simão Pedro e filho do pescador Jonas (seu pai era sócio de Zebedeu no trabalho de secagem de peixes). Segundo pesquisas, ele tinha o mesmo ofício de seu pai. Era o mais velho dos cinco irmãos.

André é conhecido também por Protocletos, palavra grega que significa "o primeiro chamado". Sim, o que o difere dos outros Apóstolos é que André foi o primeiro a ser escolhido e imediatamente reconheceu Jesus como Messias. Vivia em Carfanaum com Pedro quando foram chamados a ser "pescadores de homens".

"Vinde após mim e vos farei pescadores de homens", disse-lhes Jesus. "Na mesma hora, abandonaram suas redes e o seguiram" (Mateus 4:19-20).

Assim como os outros Apóstolos, foi apresentado a Cristo e logo passou a segui-Lo e a propagar Sua palavra com entusiasmo. De acordo com muitos dos estudos relacionados a André, ele falava muito bem o grego. Assim, muitos gregos se sentiam atraídos por suas histórias e o seguiam.

Aos 33 anos, era o mais velho dos Apóstolos e um exímio administrador. Sabia bem o que se passava com todos à sua volta, era bastante compreensivo e dono de pensamento lógico.

Foi enviado na missão aos judeus para pregar o reino dos céus, além de curar enfermos e purificar leprosos e, mesmo tendo seu irmão mais destaque do que ele, jamais sentiu qualquer tipo de inferioridade ou inveja. Quando Jesus fez a revelação sobre o fim dos tempos, André estava ao seu lado no Monte das Oliveiras – assim como estava em alguns dos mais marcantes feitos do Mestre.

Diversos historiadores o descrevem como um dos mais silenciosos entre os Apóstolos, já que não existem muitos diálogos seus nos Evangelhos. Eis aí outra grande relação com os dias de hoje: mais vale um observador silencioso do que aquele que precisa se "provar" para os outros mediante falas cansativas.

Todos conhecemos alguém que fala, fala, fala e nos faz acreditar em sua verdade. Pessoas assim têm de fato o dom da oratória, da persuasão e do convencimento, não? Pois que o Apóstolo André nos sirva de exemplo. Ele cativou e conquistou diversas pessoas ao seu redor mesmo sendo calado. Só falava quando necessário, atraindo assim grande admiração de seu Mestre Jesus.

Em um dos mais falados atos na literatura da Igreja, o milagre da multiplicação dos pães, também esteve em ação, juntamente com Filipe. Na ocasião, foi ele quem viu o menino no meio da multidão, carregando cinco pães e dois peixes, e alertou Jesus.

> Um dos seus discípulos, chamado André, irmão de Simão Pedro, disse-lhe:
> "Está aqui um menino que tem cinco pães de cevada e dois peixes... mas que é isto para tanta gente?"
> Disse Jesus: "Fazei-os assentar." Ora, havia naquele lugar muita relva. Sentaram-se aqueles homens em número de uns cinco mil.
> Jesus tomou os pães e rendeu graças. Em seguida, distribuiu-os às pessoas que estavam sentadas, e igual-

mente dos peixes lhes deu quanto queriam. Estando eles saciados, disse aos discípulos: "Recolhei os pedaços que sobraram, para que nada se perca."
Eles os recolheram e, dos pedaços dos cinco pães de cevada que sobraram, encheram doze cestos.
À vista desse milagre de Jesus, aquela gente dizia: "Este é verdadeiramente o profeta que há de vir ao mundo."
(João 6:8-14).

Esteve também presente no mar da Galileia quando Jesus apareceu após a Ressurreição:

Na tarde do mesmo dia, que era o primeiro da semana, os discípulos tinham fechado as portas do lugar onde se achavam, por medo dos judeus. Jesus veio e pôs-se no meio deles. Disse-lhes: "A paz esteja convosco!"
Dito isso, mostrou-lhes as suas mãos e o lado. Os discípulos alegraram-se ao ver o Senhor.
Disse-lhes outra vez: "A paz esteja convosco! Como o Pai me enviou, assim também eu vos envio a vós."
Depois dessas palavras, soprou sobre eles dizendo-lhes: "Recebei o Espírito Santo.
Àqueles a quem perdoardes os pecados, lhes serão perdoados; àqueles a quem os retiverdes, lhes serão retidos."
(João 20:19-23).

E acompanhou ainda uma das maiores lições que poderia ter recebido:

> Os onze discípulos foram para a Galileia, para a montanha que Jesus lhes tinha designado.
> Quando o viram, adoraram-no; entretanto, alguns hesitavam ainda.
> Mas Jesus, aproximando-se, lhes disse: "Toda autoridade me foi dada no céu e na terra.
> Ide, pois, e ensinai a todas as nações; batizai-as em nome do Pai, do Filho e do Espírito Santo.
> Ensinai-as a observar tudo o que vos prescrevi. Eis que estou convosco todos os dias, até o fim do mundo."
> (Mateus 28:16-20).

André passou a fazer anotações, por meio das quais relacionava detalhes de todos os feitos do Mestre. Dizem que ele falou a discípulos na Grécia e na Ásia Menor. Após sua morte, foram feitas cópias dessas anotações, que serviram de apoio para os primeiros instrutores da Igreja cristã.

Segundo estudos, André foi crucificado em Patras da Acaia, na Grécia, onde havia sido eleito o primeiro Bispo da capital de Constantinopla. Teria sido amarrado em uma cruz em forma de "X", que é conhecida como a "Cruz de Santo André".

Alguns historiadores dizem que, antes de morrer, ele olhou para a cruz e disse:

Oh, Boa Cruz, dos membros do Senhor, recebeu sua forma eterna, a tão esperada, ardentemente amada, constantemente procurada. Agora, desejo que minha alma esteja pronta, me arranque da humanidade e me leve ao meu Mestre. Através de ti, Ele pode me receber, que me redimiu através de ti.

É o patrono da Rússia e da Escócia (cuja bandeira traz a cruz em forma de "X"), bem como de diversas localidades na Itália, Grécia e Espanha.

O dia em sua homenagem se comemora em 30 de novembro.

ORAÇÃO A SANTO ANDRÉ

Santo André, Apóstolo de Jesus Cristo, que conheceste a exigência e a alegria de Seu primeiro apelo, dá-nos a graça de responder-Lhe com a mesma lealdade, de O servir a cada dia no lugar que Ele para nós escolheu.

Tu que distribuíste à multidão faminta o pão que o Senhor multiplicava em tuas mãos obtém para nossa pobreza o mesmo milagre.

Faze com que esperemos o socorro de Deus com a invencível esperança do amor, preocupados unicamente com o advento de Seu Reino.

Testemunha da Boa-Nova que tua voz levou até as extremidades da Terra, conserva nos Apóstolos de nosso tempo esta fé viva que move montanhas e constrói o Reino.

Mártir de teu testemunho, concede-nos a graça de união à Cruz de Jesus Cristo; que ela seja a alegria de nossa vida e o penhor de nossa ressurreição na claridade de Deus.

Amém!

ORAÇÃO A SANTO ANDRÉ ÀS PESSOAS INJUSTIÇADAS

Senhor Deus, Justo e Misericordioso, que pelo ministério do bem-aventurado Santo André, Apóstolo e Mártir, fizeste germinar a semente da Vossa Palavra, aceitai a minha oração e fazei com que sintamos os doces efeitos da intercessão do Vosso Apóstolo, junto da Divina Majestade.

Pelo sangue de Nosso Senhor Jesus Cristo.

Assim seja.

Santo André, protetor dos caluniados e processados injustamente, intercedei por mim.

Santo André, valei-me.

Santo André, atendei-me.

Rezar um Credo, uma Ave-Maria, uma Salve-Rainha e um Pai-Nosso.

BIBLIOGRAFIA

BÍBLIA SAGRADA. São Paulo: Ave-Maria, 2010. Edição Claretiana, revisada.

FERREIRA, A. B de H. *Minidicionário Aurélio*. Rio de Janeiro: Nova Fronteira, 1985.

FRAGMENTOS dos "Atos da Igreja" sobre o Martírio de Tiago, o irmão do Senhor, livro 5. Disponível em: <pt.wikipedia.org/wiki/Tiago,_o_Justo>. Acesso em: out. 2020.

MACARTHUR, J. *Doze homens extraordinariamente comuns*: como os apóstolos foram moldados para alcançar o sucesso em sua missão. Trad. Susana Klassen. 2. ed. Rio de Janeiro: Thomas Nelson Brasil, 2019.

Sites consultados:

ENCONTRO com Cristo. Disponível em:
<encontrocomcristo.com.br/>. Acesso em: 16 out. 2020.

LAMARTINE Posella. Disponível em:
<youtube.com/lamartineposella>. Acesso em: 16 out. 2020.

O LIVRO de Urântia. Disponível em:
<bigbluebook.org/pt/139/1/>. Acesso em: 16 out. 2020.

RUMO da Fé. Disponível em:
<rumodafe.com.br/>. Acesso em: 16 out. 2020.

VATICAN News. Disponível em:
<vaticannews.va/pt/>. Acesso em: 27 out. 2020.

Durante sua jornada na Terra, o Filho de Deus escolheu doze homens para acompanhá-Lo, segui-Lo e testemunhar Seus feitos.

Nesta coleção, você conhecerá as principais características dos Apóstolos e o papel desempenhado por cada um deles desde o testemunho dos feitos de Jesus até a pregação dos ensinamentos cristãos após sua morte, além da oração dedicada a cada um deles.

Neste primeiro volume, conheceremos a história de Bartolomeu – um jovem descrente mas muito sincero; Tiago, o Menor – também chamado de "o Justo", primo de Cristo e irmão de Judas Tadeu; e André – irmão de Simão Pedro e o primeiro Apóstolo a ser escolhido.

O LIVRO DOS APÓSTOLOS - VOL. 1
Fabricado no Brasil por: Universo dos Livros Editora LTDA
Via das Samambaias, 102 – CEP 06713-280
Jardim Colibri, Cotia / SP
CNPJ: 07.680.904/0002-35
Tamanho: 13,5 x 20,5 cm
Conteúdo: 01 LIVRO
Inclui: 01 LIVRO (32 páginas)
Lote: UDLLC0

ISBN 978-65-5609-015-3

FSC1405563

UNIVERSO DOS LIVROS

Volume 4

O LIVRO DOS
APÓSTOLOS

**Mateus
Judas Tadeu
Simão**

UNIVERSO DOS LIVROS

O LIVRO DOS APÓSTOLOS

Universo dos Livros Editora Ltda.
Avenida Ordem e Progresso, 157 – 8º andar – Conj. 803
CEP 01141-030 – Barra Funda – São Paulo/SP
Telefone/Fax: (11) 3392-3336
www.universodoslivros.com.br
e-mail: editor@universodoslivros.com.br
Siga-nos no Twitter: @univdoslivros